La estrategia del Dragón

Edición: Lidia María Riba
Colaboración editorial: Cristina Alemany
Dirección de arte: Trini Vergara
Diseño: María Inés Linares

www.libroregalo.com

ARGENTINA: Demaría 4412 (C1425AEB) Buenos Aires
Tel./Fax: (54-11) 4778-9444 y rotativas
e-mail: editoras@libroregalo.com

MÉXICO: Av. Tamaulipas 145, Colonia Hipódromo Condesa
CP 06170 - Delegación Cuauhtémoc, México D. F.
Tel./Fax: (5255) 5220-6620/6621 • 01800-543-4995
e-mail: editoras@vergarariba.com.mx

ISBN: 978-987-612-034-0

Impreso en Argentina por Mundial Impresos S.A.
Printed in Argentina

La estrategia del Dragón / compilado por Analía L'Abbate y Karina Qian Gao
1ª ed. - Ciudad Autónoma de Buenos Aires: V&R, 2007.
96 p.; 22 x 14 cm.

ISBN 978-987-612-034-0

1. Narrativa China. 2. Sabiduría Oriental.
I. L'Abbate, Analía, comp. II. Qian Gao, Karina, comp.
CDD 895.1

ANALÍA L'ABBATE • KARINA QIAN GAO

La estrategia del Dragón

Desde hace casi 5.000 años la cultura china mantiene una importante tradición para la transmisión oral de sus costumbres, valores, virtudes y estrategias. Ese legado se refleja en los dichos que, representados por diferentes ideogramas, contienen una historia poderosa, con la que el relator entrega a sus interlocutores una sencilla pero profunda enseñanza de vida.

Los dichos nos remiten a los inicios de China como civilización, a los diferentes reinos, a las guerras que se libraron hasta lograr la unificación y conformar el inmenso territorio que conocemos actualmente. Son un legado tanto de reyes y sabios orientales como de consejeros o simples campesinos que, en aquellos tiempos lejanos, se detenían a observar las leyes de la naturaleza y el comportamiento humano.

En cada página de este libro el ideograma original, la grafía y la fonética en español preceden al relato. Si sabemos entender estos relatos y aplicarlos en nuestra vida cotidiana, en nuestros emprendimientos, en nuestras relaciones, podremos vivir parte de la gloria del gran Dragón y el secreto de su permanencia en el tiempo, desde los inicios tormentosos hasta su brillante presente.

Los chinos creen que el éxito es un camino de comunión y respeto, de estrategias y virtudes, de paciencia y de constancia. En cada uno de estos dichos la cultura china ha encerrado un secreto y una estrategia: estamos invitados a descubrirlos.

半途而廢

BĂN TŬ ÉR FÈI
ABANDONAR A MITAD DE CAMINO

Un joven chino decidió estudiar fuera de su país. Durante su ausencia, su novia –para aliviar la espera– comenzó a tejer en el telar una finísima tela de seda.

Después de transcurridos dos años de su partida, el joven regresó a su país y le dijo a su amada: "He vuelto porque no podía soportar la separación".

Su enamorada, mostrándole la tela de seda que había realizado, la cortó sin titubear. El tejido comenzó a deshacerse entre sus manos. Entonces le dijo: "Si no terminas lo que has empezado, sucederá como con mi tejido: todo lo que has hecho hasta ahora no habrá servido de nada".

El joven retomó sus estudios y regresó junto a su amada siete años más tarde, después de haber concluido con éxito su carrera.

Una de las cualidades distintivas del emprendedor es la capacidad de correr el riesgo de apostar a ser en el futuro lo que reconozco que aún no soy en el presente.

CARLOS LLANO CIFUENTES

解鈴還得係鈴人

JIĚ LÍNG HÁI DĚI
XÌ LÍNG RÉN
ANUDAR Y DESANUDAR

Dos estatuas de tigres decoraban la entrada de la casa de un anciano chino. Como una de ellas no estaba terminada, el señor convocó a los artesanos del pueblo para finalizar la obra, pero ninguno logró llevar a buen término la misión encomendada.

El anciano decidió preguntar a un sabio cómo debía proceder. "Quien ató el nudo debe desatarlo", fue el consejo de éste. El señor, entonces, dedicó todos sus esfuerzos a hallar al escultor que había comenzado aquella estatua y el trabajo fue concluido.

La buena dirección consiste en inspirar a los demás a que completen una tarea.

DON PAGE

出奇制勝

Chū qí zhì shéng
Estrategias diferenciadoras

Un pequeño reino se encontraba en guerra contra cuatro reinos diferentes. A fin de obtener la improbable victoria, el rey decidió atacar en su flanco más débil a cada uno de sus enemigos. Utilizó las armas contra algunos de ellos; la palabra y los ataques sorpresivos, contra los otros. De ese modo, haciendo prevalecer estrategias particulares, aquel pequeño reino pudo vencer a los otros cuatro.

La clave en toda competencia, ya sea en la guerra, en los negocios o en los contratos, es mitigar las fortalezas de tus competidores y explotar sus debilidades.

ALAN MICHAELS

坐山觀虎鬥

Zuò shān guān hǔ dòu
Sentarse a ver pelear

Un sabio, caminando junto a su discípulo, vio la oportunidad de brindarle una lección de estrategia y le señaló: "¿Ves aquellos dos tigres en el monte? Siéntate y obsérvalos. Ambos quieren atacar y comer aquella cabra, pero uno es más débil que el otro. Si quieres quedarte con ella, debes esperar que los tigres luchen entre sí. El más débil será derrotado pero, entonces, el más fuerte, desgastado por la batalla, será fácil de vencer. De esa manera, tú lograrás finalmente obtener tu presa".

Cuando las estrategias eficientes implican sorpresa o innovación, es posible vencer con frecuencia a competidores más grandes o que cuentan con mayores recursos.

ALLAN J. MAGRATH

守株待兔

SHǑU ZHŪ DÀI TÙ
ESPERANDO AL CONEJO

Un campesino trabajaba todos los días de sol a sol. Agotado por el esfuerzo, una tarde decidió echarse a descansar debajo de un árbol.

Después de un tiempo, un conejo que venía huyendo de un predador embistió precisamente el árbol bajo el cual el campesino reposaba.

Esa noche, el hombre pudo llevar el alimento a su familia sin ningún esfuerzo.

Desde ese día, dejó de trabajar y cada mañana volvía a sentarse debajo del árbol, a la espera de otra presa fácil. Como no apareció ninguna, el campesino y su familia se fueron volviendo más pobres y murieron de hambre.

No te midas por lo que has logrado, sino por lo que tendrías que haber alcanzado con tus capacidades.

JOHN WOODEN

盲人摸象

Máng rén mō xiàng
Ciegos

En tiempos de guerra, un emperador, cansado de escuchar las inútiles estrategias parciales que, día tras día, le presentaban sus consejeros, decidió citar a todos en el palacio.

Los ubicó en el salón principal y, después de unos minutos, mandó descorrer un cortinado. Detrás de él, apareció un elefante. Tres hombres ciegos fueron llevados cerca de él. El emperador pidió a los ciegos que se acercaran al animal y lo describieran.

Uno de ellos, tocando el colmillo del elefante, lo describió como un animal frío, filoso y puntiagudo. El segundo, lo primero que palpó fue la pata, y dijo al emperador que el elefante era redondo y elevado como una torre. El tercero, al tocar el lomo, afirmó estar ante un animal alto y recto como una mesa.

De esta forma el emperador demostró a sus consejeros que, para plantear una estrategia de éxito, no sólo deben verse los aspectos parciales de la cuestión, sino la totalidad del problema.

Cuanto mejor sepamos captar la realidad, mejor será la calidad de nuestros resultados.

ROBERT RINGER

刻舟求劍

Kè zhōu qiú jiàn
El bote y la espada

Un comerciante debía cruzar un río en bote para llegar al mercado. Tan apresurado estaba por recorrer el trayecto en el menor tiempo posible, que no se detuvo cuando su espada cayó al agua.

Dijo entonces al botero: "No te detengas, haremos una marca en el bote en el lugar donde cayó la espada y mañana, cuando crucemos el río nuevamente, podremos encontrarla".

Al día siguiente, volvió a cruzar el río en el mismo bote. Cuando llegó a la mitad, intentó sin éxito encontrar la espada, pero sólo vio la marca que había hecho. Quejándose, llegó a la otra orilla sin haber podido recuperarla.

El comerciante comprendió que, antes de tomar una decisión, es necesario evaluar todas las consecuencias de ella.

Piensa como una persona de acción y actúa como una persona que piensa.

HENRI BERGSON

井底之蛙

Jǐng dǐ zhī wā
El pozo

Una rana habitaba en lo profundo de un pozo cerca de una playa. A través del círculo que se dibujaba desde el interior, veía el cielo, el sol y las nubes, y, cuando el viento soplaba con fuerza, también le llegaba el olor del mar.

Satisfecha con su vida, la rana pensaba que vivía en el mejor lugar del mundo: cómodo, luminoso y amplio. Saltando dentro del pozo, sus días transcurrían con alegría.

Un día se acercó una tortuga; al verla, la rana la invitó a bajar. "Ven a conocer mi hogar", le dijo, "no podrás creer cuánta luz tiene y cuán grande es". La tortuga, curiosa, aceptó la invitación.

Cuando llegó al fondo del pozo y miró a su alrededor, le dijo a la rana: "En el lugar donde yo vivo, el cielo no tiene límites, el mar es ancho, profundo y tan inmenso que nunca se seca ni se inunda con las lluvias. El sol brilla con una intensidad cegadora. Deberías verlo, ¡eso sí que es vivir bien!". La rana no creyó aquello que la tortuga le contaba, confiada en que el suyo era un hogar único.

Un día de fuertes lluvias, el pozo se inundó de tal manera que la rana subió hasta la superficie. Al enfrentar la brillante luz del sol y admirar la inmensidad del cielo y del mar, comprendió que la tortuga tenía razón: es importante conocer lo que se encuentra más allá de nuestro alrededor.

Cualquier herramienta, tecnología, técnica o juego que te permita jugar seriamente con la incertidumbre, garantiza el descubrimiento.

MICHAEL SCHRAGE

螳螂擋車

TÁNG LÁNG DǍNG CHĒ
EL SALTAMONTES
Y EL CARRO

Un saltamontes, orgulloso de su fuerza, pasaba el día admirando sus brazos largos y resistentes. Al compararse con las otras especies que lo rodeaban, se sentía muy poderoso, ya que consideraba que ninguna otra podía igualarlo.

Un día, creyéndose invencible, intentó detener con sus brazos un carro que circulaba por el camino. Éste pasó por encima del saltamontes sin notarlo. "Debería haber evaluado objetivamente mi propia capacidad antes de enfrentarme ciegamente a este desafío", alcanzó a reflexionar el saltamontes antes de emitir su último suspiro.

Intentar ser el número uno e intentar hacer las cosas bien son dos cosas diferentes.

ALFIE KOHN

塞翁失馬

Sāi wēng shī mǎ
Perder el caballo

Un campesino vivía con su hijo en la montaña cuidando animales. De todos, el caballo era el que más necesitaba para realizar los trabajos diarios.

Una mañana, cuando el muchacho salió a trabajar, notó con desconsuelo que el caballo se había marchado.

El padre le dijo: "No te preocupes, hijo, tal vez no sea malo que se haya marchado". El joven quedó desconcertado.

A los pocos meses, el caballo volvió a la granja, acompañado por una yegua. El hijo, feliz, avisó enseguida a su padre. Éste lo miró con desconfianza y le aconsejó: "Hijo, no debemos apresurarnos en suponer que éste sea un buen presagio". El joven no pudo evitar una expresión de extrañeza ante esas palabras.

Al poco tiempo, el hijo cayó de la yegua y la lesión le dejó una leve renguera. Ante sus continuas quejas, el padre le pidió: "Por favor, no te lamentes, todavía no sabemos si esta caída es un mal augurio". Una vez más, el muchacho no comprendió la actitud precavida de su padre.

Tiempo después, el ejército pasó reclutando jóvenes para ir a la guerra. A causa de su renguera, el joven no fue seleccionado. El padre, entonces, le dijo: "Hijo mío, la paciencia y la serenidad son necesarias para evaluar correctamente los hechos que suceden en nuestra vida".

El hombre calmo, habiendo aprendido a gobernarse a sí mismo, sabe cómo adaptarse a los demás; éstos, a su vez, admiran su fortaleza y sienten que pueden confiar y aprender de él. Cuanto más serena sea una persona, mayores serán sus éxitos y su influencia.

James Allen

見卵求雞

JIÀN LUǍN QIÚ JĪ
EL HUEVO Y LA GALLINA

Un estudiante ávido de conocimiento realizaba incesantes preguntas a su maestro. Éste, al notar su impaciencia, le aconsejó con sabiduría: "Todo tiene un proceso. No quieras ver el huevo y, al instante, poseer la gallina".

Si he hecho descubrimientos invalorables, ha sido más por tener paciencia que por cualquier otro talento.

ISAAC NEWTON

濫竽充數

Làn yú chōng shù
Mal instrumento

En el palacio de un legendario reino decidieron convocar a los mejores músicos para formar una gran orquesta real.

Todos los que se presentaron sorprendieron al Maestro de la Orquesta por su destreza musical, excepto un participante que no poseía talento alguno. Sin embargo, aunque obtuvo muy bajas calificaciones, logró convencer al Maestro de que pondría gran empeño en perfeccionarse, y le fue otorgada una segunda oportunidad.

Pasaron los años y el músico, en lugar de esforzarse para mejorar, se dedicó a copiar los movimientos de sus compañeros hasta pasar inadvertido ante los ojos y oídos de todos los miembros de la corte.

Finalmente, el rey murió. Su sucesor prefería las participaciones solistas de los músicos antes que escuchar a la Gran Orquesta y el engaño quedó al descubierto. Aquel falso músico debió abandonar el reino.

"Tarde o temprano, la verdad sale a la luz. ¡Qué tonto fui al no aprovechar la oportunidad que me ofrecieron!", dicen que se repetía, camino hacia el exilio.

La calidad de vida de una persona está en proporción directa a su compromiso hacia la excelencia, más allá del campo de acción elegido.

VINCENT LOMBARDI

背水一戰

Beì shuǐ yī zhàn
Batalla sin retorno

Terribles luchas asolaban a China en épocas de la última dinastía. La moral de los soldados decaía ante las sucesivas derrotas y la gran cantidad de bajas.

Dispuesto a levantar la moral de su ejército, el capitán decidió hablar con sus soldados para incentivar su coraje.

Al observar las miradas escépticas y exhaustas de los jóvenes, resolvió que recurriría a una estrategia diferente: llevó la flota completa de sus barcos hasta la costa enemiga.

Los soldados, agotados, levantaron sus tiendas en tierra y se retiraron a dormir. Aprovechando la oscuridad de la noche, el capitán envió a dos de sus hombres a quemar toda la flota, con la instrucción de no dejar una sola nave en condiciones.

A la mañana siguiente, cuando los soldados vieron los barcos destruidos, no salían de su estupor. De inmediato, el capitán los arengó con firmeza y confianza: "¡Soldados, si queremos salir con vida de esta isla, nuestra única alternativa es ganar la batalla!".

Esa fue la primera de una larga serie de victorias que lograron la pacificación del país.

Los sentimientos elevados, finalmente, ganan. Los líderes que prometen sangre, sudor y lágrimas siempre consiguen más de sus seguidores que aquellos que les proponen seguridad y buenos momentos. Cuando llega el instante crucial, el ser humano es heroico.

GEORGE ORWELL

螳螂捕蟬，黃雀在後

TÁNG LÁNG PŬ CHÁN,
HUÁNG QUÈ ZÀI HÒU
ATRAPAR LAS PRESAS

Durante una larga guerra que devastaba los cantones, el emperador consultó a su mejor funcionario para encontrar una estrategia que pusiera fin a los largos años de sufrimiento de su pueblo. El consejero narró al emperador una experiencia vivida por él:

"Después de practicar largo tiempo, sin éxito, con mi honda en los jardines del palacio, me detuve un momento a descansar.

Una cigarra cantaba alegre en una hoja del árbol debajo del cual yo me había sentado, sin notar que un saltamontes la acechaba para convertirla en su presa.
El saltamontes, a su vez, se encontraba tan concentrado en atrapar a la cigarra, que no observó a un pájaro posado sobre la rama más baja del mismo árbol. El pájaro tampoco estaba atento a lo que sucedía a su alrededor porque tenía sus ojos puestos en el saltamontes. En ese preciso instante, apunté al pájaro con mi honda y lo maté".

El emperador comprendió así que no siempre el éxito inmediato precede a la victoria definitiva.

Los dos mayores errores de una estrategia son: actuar antes de tiempo y dejar que la oportunidad pase de largo.

PAULO COELHO

鷸蚌相爭，漁翁得利

Yù bàng xiāng zhēng, yú wēng dé lì

El pescador, la gaviota y la almeja

En China, en la antigüedad, siete importantes principados luchaban por la hegemonía del territorio. El gobernante de uno de los dos principados más fuertes quería atacar al que le seguía en poder. Pensaba que así podría luego someter a los cinco restantes.

Antes de la decisión final, un consejero se acercó al príncipe y le relató esta historia: "Una almeja reposaba tranquilamente en la arena de la costa. Una gaviota, que la había divisado desde lo alto, se acercó volando raudamente para atacarla. Cuando la almeja la vio, cerró su caparazón tan rápidamente que el pico del ave quedó atrapado dentro de él. La almeja amenazó a la gaviota diciéndole que debía dejarla libre porque moriría al no poder sacar el pico del caparazón. La gaviota le respondió que ella también moriría si no podía llegar hasta el agua. Tan enfrascadas se encontraban en su discusión que no notaron que se acercaba un pescador. Éste, al verlas, sin dudarlo, se llevó a las dos".

El príncipe comprendió entonces lo que el consejero trataba de explicarle. Mientras los dos fuertes principados estuvieran en guerra uno contra otro, serían presa fácil de los demás.

Cuando varias personas del mismo rango compiten entre ellas, la desunión da la victoria al adversario.

MAQUIAVELO

覆水難收

FÙ SHUǏ NÁN SHŌU

AGUA DERRAMADA

Un sabio y su esposa habitaban en las montañas de una antigua provincia china.

Vivían en la mayor de las pobrezas y cada vez les resultaba más difícil conseguir alimento. Como la mujer no creía que esta situación pudiera mejorar, decidió abandonar a su esposo.

El sabio la dejó ir sin decir palabra.

Con el correr de los años, la sabiduría de éste fue reconocida y su fama llegó hasta el palacio real.

El rey lo mandó llamar para que fuera su consejero. Desde ese momento, su nombre fue alabado en todos los rincones del reino.

Aquellos comentarios llegaron a oídos de la esposa. Ésta, al escuchar los logros del hombre al que había abandonado, decidió volver a buscarlo.

Se dirigió al palacio y le imploró de rodillas que le permitiera volver con él. El sabio se alejó un momento y volvió llevando un jarro lleno de agua en sus manos. Arrojó al suelo toda el agua que contenía y le dijo a su esposa: "¿Ves el agua que derramé? Si el agua pudiera volver al jarro, nosotros podríamos volver a estar juntos. Debiste haber sido paciente y haber confiado en que las cosas mejorarían".

La ambición es el camino al éxito; la tenacidad, el vehículo en el cual se llega.

JAMES EARDLEY HILL

驚弓之鳥

JĪNG GŌNG ZHĪ NIǍO
EL PÁJARO ASUSTADO

En medio de una contienda entre dos reinos, uno de los reyes, decidido a lanzar el ataque final, reunió al Consejo.

Los funcionarios le explicaron que las tropas estaban exhaustas y que el enemigo era muy poderoso, por lo tanto, era conveniente esperar un momento más propicio.

El rey no quería dar crédito a las palabras de sus consejeros. Uno de ellos, entonces, le relató una anécdota:

"Cuando yo era un joven alumno, recibía enseñanzas de un gran Maestro. Un día en que estábamos caminando por los jardines, vimos a un arquero y nos acercamos a él para deleitarnos con su destreza. El arquero nos dijo: '¿Ven ese pájaro que vuela hacia aquí? Puedo derribarlo tan solo con el sonido de la tanza de mi arco'. Al instante lo desafiamos a realizar tal proeza.

Cuando el arquero tocó su arco, el pájaro cayó. Ante nuestra sorpresa, el hombre explicó: 'No fue mérito mío haberlo derribado. Cuando lo vi acercarse, noté que estaba cansado de volar. Como el pájaro se encontraba débil, al oír el silbido de la tanza, seguro de que vendría la flecha, se dio por muerto. Lo único que hice yo fue aprovechar esa situación'.

El Maestro me enseñó entonces que, en el momento de la debilidad, siempre es mejor detenerse y recuperar fuerzas para no correr el riesgo de convertirse en un blanco fácil".

El rey, reflexionando acerca de lo que había oído, decidió replegar sus tropas y esperar el momento adecuado para realizar el ataque.

La gente no planea fallar, falla por no planear.

Zig Ziglar

磨杵成針

Mó chǔ chéng zhēn
La vara y la aguja

Existía en la antigüedad un famoso poeta chino. Aunque sus poesías recibían grandes alabanzas por su sentido de la belleza y su infinita inspiración, cierto día, el poeta dejó de escribir. Cuando su familia y sus allegados le preguntaban qué le había sucedido, él les respondía que su inspiración se había agotado.

Ya no se sentaba más en su mesa de trabajo y pasaba los días deambulando por el campo, visitando lugares cercanos.

En una de sus caminatas llegó hasta un río. En la orilla, una anciana lijaba una gruesa vara de metal sobre una piedra. El poeta se sentó a observarla durante largo rato.

Cuando la anciana se levantó, él la siguió intrigado y le preguntó qué hacía.

La anciana le contestó: "Una aguja para tejer". El poeta, asombrado, le preguntó: "Pero, anciana, ¿cómo esperas que una vara tan gruesa se transforme en una fina aguja de tejer? Es una tarea casi imposible de lograr".

La anciana lo miró con infinita paciencia y le respondió: "Joven, tal vez no consiga hacerlo en un solo día, pero si trabajo todos los días estoy segura de que finalmente lo lograré".

El poeta comprendió lo que la anciana trataba de decirle. Regresó de prisa a su casa y retomó su trabajo con alegría.

Nada limita tanto tus posibilidades como pensar en pequeño, y nada las expande tanto como dejar volar la imaginación.

WILLIAM ARTHUR WARD

畫蛇添足

Huà shě tiān zú
Serpiente con patas

En un templo lejano, oculto entre las montañas, siete monjes vivían en reclusión.

Cierto día, después de la ceremonia de veneración de la primavera, el más anciano de los monjes tomó el vino ceremonial del santuario para compartirlo y lo vertió en la única copa sagrada destinada a ese fin. Los monjes lo miraron expectantes ya que, debido a las gracias espirituales que poseía aquel vino, todos querían beberlo. El anciano se dirigió a los otros seis monjes con estas palabras: "Una copa es demasiado para uno solo de ustedes, pero sería muy poco si la dividiéramos entre siete. Una demostración de destreza resolverá este dilema. Como la serpiente es un animal místico para todos, cada uno deberá dibujar con pincel y tinta una serpiente y el primero en terminar podrá tomar el vino sagrado".

Uno de los monjes finalizó antes que los demás. Viendo que los otros aún seguían dibujando, tomó con una mano la copa y, al mismo tiempo, con la otra comenzó a dibujarle patas a la serpiente que había hecho.

En ese momento, otro monje que ya había terminado su dibujo, le quitó la copa al primero y bebió el vino sagrado, ya que es sabido que las serpientes no tienen patas.

"Cuando algo se halla en su punto justo, no es necesario agregar nada más", sentenció el más anciano al observar lo ocurrido.

Pocos aceptan el precio de la propia victoria.

Paulo Coelho

熟能生巧

Shú néng shēng qiǎo La experiencia y la perfección

Un arquero, reconocido por su gran destreza, realizaba demostraciones ante el público en las ferias: arrojaba diez flechas y acertaba los diez tiros en un blanco que se encontraba a gran distancia.

Una mañana, llegó a la feria un comerciante que vendía aceite. Se detuvo frente al arquero y le dijo que él era capaz de verter aceite en una botella, sin derramar una gota, a través de una moneda, dado que las monedas chinas tenían un pequeño agujero en el centro. Luego, le preguntó al arquero si también se consideraba capaz de lograrlo. Éste aceptó sin dudar el desafío, a pesar de que jamás había hecho nada semejante, ya que, dada su excelente puntería con el arco, lo consideró una tarea fácil.

El primero en intentarlo fue el arquero, que volcó la mayor parte del aceite fuera de la botella. Luego llegó el turno del vendedor, quien vertió todo el contenido a través de la moneda y dentro de la botella, sin que una sola gota cayera fuera del recipiente.

Los presentes no salían de su asombro. Entonces el vendedor explicó: "Realizo este trabajo decenas de veces al día; en esto, la práctica me ha brindado la precisión".

El arquero se retiró sin pronunciar una sola palabra.

El subconsciente ofrece las respuestas mediante la repetición, repetición, repetición...

W. Clement Stone

買櫝還珠

Mǎi dú huán zhū
La perla y la caja

Un comerciante recorría las ferias de China vendiendo perlas. Cierto día, se le ocurrió la idea de presentarlas dentro de cajas de madera, como una forma de mejorar su negocio.

Diseñó entonces la caja más hermosa que jamás se hubiera visto, pensando que de esa forma las perlas estarían tan bien presentadas que se venderían de a miles.

Al año siguiente, fue a ofrecerlas a la feria de Pekín, que era la más prestigiosa de todas las ferias de China.

El día de la apertura, el puesto del comerciante estaba colmado de compradores, pero todos estaban más interesados en comprar las cajas que las perlas que éstas contenían.

El comerciante comprendió que había perdido de vista lo esencial, al tratar de vestir las perlas con adornos superfluos.

Al año siguiente, volvió a la feria con las perlas en su estado natural.

Tiene éxito quien continúa con lo viejo cuando todavía le sirve y se apropia de lo nuevo en cuanto le resulta mejor.

ROBERT P. VANDERPOEL

按圖索驥

ÀN TÚ SUŎ JÌ
EL ANIMAL INDICADO

En la antigua China vivía un señor cuyo oficio era criar caballos. Debido a su experiencia y conocimiento, su fama se había extendido por todo el país. No sólo se dedicaba a la crianza, sino también al entrenamiento, y había escrito varios libros sobre el tema. A sus campos llegaban alumnos de todo el país para tomar clases y aprender el oficio.

Entre sus discípulos, también se encontraba su hijo. Éste, en su afán por superarse, en lugar de acudir todos los días al campo de entrenamiento, leía atentamente todos los libros que había escrito su padre y los repetía de memoria a fin de recordar exactamente cada detalle.

Un día, quiso demostrarle su abnegación haciéndole un regalo. Recordó que su padre había escrito: "Un ejemplar pura sangre debe tener ojos grandes y vivaces, patas anchas y formadas". Después de algún tiempo, se presentó ante él con un sapo. El padre lo miró desconcertado y le preguntó: "Hijo, ¿qué me has traído?". Éste le respondió: "Padre, en tus libros dices que un pura sangre debe tener ojos grandes y vivaces, patas anchas y formadas. Yo te traje uno, ¿no estás orgulloso?".

El padre le aconsejó: "Hijo, si quieres aprender un oficio, no busques el conocimiento sólo en los libros, sino en la práctica y la experiencia".

Despertad a los hombres de las palabras y llevadlos a la contemplación de las cosas, mostrando el camino a quien quiera contemplar.

PLOTINO

拔苗助長

Bá miáo zhù zhǎng
Podar y crecer

Un campesino poseía una huerta a la que cuidaba con gran atención y esmero. Diariamente se encargaba de controlar y atender sus cultivos y, al regresar a su casa a la caída del sol, se quejaba de que no habían brotado lo suficiente. Así, día tras día, medía el crecimiento de los brotes, pero tan grande era su ansiedad que, aunque crecieran algunos centímetros, esto resultaba insignificante para él.

Una mañana, no pudo soportar más la espera y levantó de raíz todos los brotes a medio crecer.

Por la tarde regresó a su casa y, satisfecho de su éxito, le mostró a su hijo todo lo que había cosechado. Pero, cuando llegó a la huerta a la mañana siguiente, vio que estaba seca y sin ningún brote verde.

Desilusionado, en el trayecto de regreso a su casa, comprendió que no tendría que haber arrancado los brotes, sino que debía haber esperado a que crecieran para poder utilizarlos en la próxima cosecha. Ahora debería sembrar todo el campo nuevamente y el proceso sería más largo aún.

Recordando las enseñanzas del taoísmo, al llegar, le dijo a su hijo: "Se debe ejercitar la paciencia para no interrumpir el proceso natural del crecimiento. Si deseamos cosechar algo, debemos primero permitirle que brote".

Apresúrate lentamente. Esa es la base del éxito.

JULIO CÉSAR

抱薪救火

BÀO XĪN JÍU HUǑ
SALVAR EL JUEGO

En tiempos de la Guerra de los Siete Países, siete reyes intentaban gobernar cada uno en forma virtuosa. Las reuniones diarias de consejeros se extendían durante horas. Año tras año se sucedían los ataques a los países más pequeños, que sólo contaban con la habilidad y la sabiduría de su pueblo para defenderse.

Uno de estos países había sido atacado por tercer año consecutivo. El rey siempre había optado por ceder territorios sin dar batalla, a fin de evitar más muerte y destrucción. De esta forma, el país se empequeñecía cada vez más y sus posibilidades de éxito se volvían más remotas.

En medio del desconcierto general, un consejero dirigió estas acertadas palabras al gobernante: "Estáis muy preocupado imaginando el próximo ataque que recibirá nuestro país. Vuestra emoción os está nublando la visión. Un líder natural debe apartarse del caos y de los conflictos para poder decidir la estrategia correcta en la paz y armonía de su ser interior".

Esa noche el rey se retiró temprano para meditar. A la mañana siguiente reunió a sus funcionarios y les comunicó que no realizaría más concesiones y que convocaría a los otros cinco reinos para formar un gran ejército que pudiera dar así una batalla justa al enemigo más poderoso. "De esta forma, uniendo el valor y la capacidad de nuestros pueblos en un proyecto común, el éxito y el bienestar para todos estarán asegurados", concluyó.

Admitir que tenemos algo que ver con nuestras pérdidas es el primer paso para la recuperación.

ALLAN COX

暴虎馮河

Pào hŭ féng hé
Pelear con el tigre

Confucio tenía numerosos discípulos; entre ellos había dos muy especiales: Zi Lu y Yan Yuan. Zi Lu era un joven de gran fortaleza física; Yan Yuan era un estudiante esmerado, que provenía de un hogar muy humilde.

Cierta vez, Confucio alabó efusivamente a Yan Yuan por algo que éste había hecho. Zi Lu sintió que el gran maestro no apreciaba suficientemente sus virtudes. Sus celos e inseguridad le hicieron perder la perspectiva de su propia fortaleza. Guiado por estos sentimientos, pidió hablar con Confucio. "Maestro, he seguido con atención tu conversación con Yan Yuan y he notado con tristeza que no nos tratas a todos de igual manera". Y después, esperando que el maestro reconociera su superioridad para la lucha, le preguntó: "Si tuvieras que formar un ejército, ¿a quién reclutarías?". Zi Lu estaba convencido de que la respuesta del maestro no podía ser otra que señalarlo a él como candidato ideal. Pero Confucio le respondió: "No reclutaré a quienes sean capaces de pelear con un tigre sin armas o cruzar el río sin un barco. Elegiré a los que puedan mantener su mente clara ante los conflictos, a quienes no se dejen llevar por sus emociones, sepan cuándo escuchar y cuándo actuar: ésos desempeñarán eficazmente cualquier tarea".

Cuando quiero cubrir puestos de trabajo, busco a la gente tipo castor, ésa que está construyendo sin parar. Son quienes hacen más de lo que se espera de ellos, los que van más allá, los que llegan.

LEE IACOCCA

趁虚而入

Chèn xū ér rù
Estrategia para entrar

En la antigüedad, China soportó largas épocas de cruentas guerras civiles. En una de ellas, durante un combate, el gobierno capturó al jefe de los revolucionarios. Todos los funcionarios aconsejaron al rey que lo ejecutara. Sin embargo, el rey –un hombre muy sabio– se negó, ya que creía que el revolucionario era un buen soldado que se había entregado al bando equivocado.

El rey comunicó a sus magistrados que perdonaría la vida al jefe rebelde, a cambio de que trabajara para su gobierno. Éste aceptó de inmediato la propuesta.

Agradecido por la generosidad del rey, el guerrero le confesó que la estrategia de los rebeldes para atacar y apoderarse de las ciudades era concentrar a los mejores soldados en la zona norte y dejar a los soldados menos entrenados en la zona sur.

El rey pudo utilizar esta información para vencer a las fuerzas revolucionarias. Después habló así a sus consejeros: "Es mejor evaluar la capacidad y la habilidad de una persona teniendo en cuenta el medio que la rodea".

Los directivos excepcionales no dudan en romper las reglas de la sabiduría convencional.

MARCUS BUCKINGHAM Y CURT COFFMAN

出爾反爾

CHŪ ĚR FĂN ĚR
LÍDER ARREPENTIDO

Durante la Guerra de los Siete Países, uno de ellos perdió una batalla decisiva. Tras interminables días y noches de conflicto, la ciudad más importante fue arrasada por las fuerzas enemigas.

El rey, decepcionado con sus súbditos, pronunció un discurso en el que hacía responsable a su pueblo de la derrota: lo acusaba de ser débil y de no poner toda su voluntad y corazón en la lucha.

Días después, llegó a ese país de visita el gran pensador chino Mencio, seguidor de Confucio.

El rey lo mandó llamar para pedirle consejo. Mencio le habló de esta manera: "Hace tres años tu país fue azotado por catástrofes naturales. La gente no tenía qué comer ni ropa con qué cubrirse. Muchos murieron de hambre y frío, mientras todos sabían que en los depósitos reales había mucha comida almacenada. Fue tu decisión de entonces no repartirla entre tu pueblo. Ahora que están en guerra, ¡tú le pides que salga a pelear y que muera por ti!".

El rey se quedó pensativo ante las palabras de Mencio. Después, abatido, le preguntó: "Maestro, dime qué puedo hacer para mejorar esta situación". Mencio le respondió: "Debes comenzar por gobernar con virtud y compasión, mostrando a tus súbditos que pones tú mismo todo tu empeño en llevar a cabo tu tarea de la forma más humanitaria y virtuosa posible. Debes estar dispuesto a morir de hambre con tu pueblo; entonces ese pueblo te admirará de corazón y, cuando se lo pidas, estará dispuesto a dar su vida por ti. Un discípulo de

Confucio dijo una vez: 'Sé cuidadoso en tu trato con los demás, ya que ese mismo trato será el que recibas'. Un pueblo descontento nunca podrá contentar a sus dirigentes".

El rey comprendió las palabras del Maestro y se puso a trabajar con ahínco para lograr el cambio.

El verdadero liderazgo debe ser para el beneficio de los que siguen, no para el enriquecimiento de los líderes.

ROBERT TOWNSEND

此地無銀三百兩

CǏ DÌ WÚ YÍN
SĀN BǍI LIǍNG
TRESCIENTOS LINGOTES
DE ORO

Un maestro tenía un discípulo que no había aprendido a controlar sus emociones. Esto lo llevaba a cometer numerosos errores. Para ayudarlo, el maestro le contó esta historia:

"Después de largos años de trabajo y esfuerzo, un campesino había acumulado trescientos lingotes de oro, que constituían toda su fortuna. Cuando se dio cuenta de que tenía una riqueza tan grande, se volvió temeroso de que alguien se la robara. Aunque escondió los lingotes en varios lugares de su casa, ninguno le parecía suficientemente seguro.

Una noche, se levantó de su cama en medio de la oscuridad y enterró el oro en su jardín. Pero era tal el miedo y su deseo de ocultar de los demás la existencia del tesoro, que colocó en el lugar donde lo había enterrado un cartel que decía 'Aquí no hay trescientos lingotes de oro'.

A la mañana siguiente, su vecino vio el cartel, desenterró el oro y se lo llevó."

Después de escuchar este relato, el alumno comprendió que la falta de control de las propias emociones puede conducir a errores absurdos e irreparables.

Supera al miedo y observa maravillado cómo se transforma tu mundo.

ESQUILO

東施效顰

Dōng shī xiào pín
La imitación

En una aldea cercana a un río, vivía una joven muy hermosa llamada Xi Shi, cuya belleza era reconocida y admirada por toda la gente de la región. Por este motivo, todas las muchachas trataban de imitarla.

Cierto día, una joven poco agraciada llamada Dong Shi vio a Xi Shi paseando al lado del río, con el cuerpo doblado sobre sí misma. Xi Shi sentía un fuerte dolor, pero Dong Shi, que no lo sabía, se dijo: "¡Qué bonita es Xi Shi! Imitaré su forma de andar para parecerme a ella".

Un maestro que caminaba junto al río pasó al lado de la joven y, al ver su rictus de dolor, le preguntó: "¿Qué te sucede, niña?". A lo que Dong Shi contestó: "Nada. Sólo estoy imitando a Xi Shi, pues quiero ser tan hermosa como ella".

Ante semejante confesión, el maestro le explicó: "Tú eres una joven gentil y todos te quieren por tu virtud. Serás bella cuando valores tus méritos y comprendas tus defectos sin tratar de parecerte a los demás. Busca tu propia belleza en tu interior".

El arma más efectiva que poseen los nuevos competidores es una hoja en blanco, mientras que su mayor vulnerabilidad es su fe en la práctica aceptada.

GARY HAMEL

對牛彈琴

DÙI NIÚ TÁN QÍN
EL ARPA Y LA VACA

Existía en China un filósofo entregado a la investigación y a la enseñanza del budismo.

Sus alumnos le cuestionaban que no utilizara sus propios términos para explicar sus principios, sino que recurriera a las palabras de Confucio. A fin de hacerles comprender su conducta, el filosofo les contó una historia: "Tiempo atrás, un gran músico ejecutaba excelentemente el arpa. Todos los días realizaba sus prácticas en el monte, debajo de un árbol frondoso; esto le resultaba muy inspirador.

Una mañana, observó que una vaca pastaba cerca del árbol. Consideró que su música era tan sublime que podría llegar a estimular al animal. Tocó entonces una pieza bellísima, pero la vaca siguió pastando tranquilamente sin inmutarse. El músico supuso que debía tratarse de una obra muy compleja, difícil de comprender, y comenzó a tocar una pieza infantil que imitaba el sonido de algunos animales. Al instante, la vaca dejó de pastar para mirarlo".

El maestro concluyó su relato con estas palabras: "Me valgo de las palabras de Confucio porque les resultan familiares a mis alumnos y, de esta forma, logro atraer su atención. Las explicaciones complejas sólo confunden a la gente y no siempre transmiten el conocimiento".

En comunicación, lo menos es más. La mejor manera de conquistar la mente de posibles clientes es con un mensaje sencillo. Hay que desechar las ambigüedades, simplificar el mensaje... y luego simplificarlo aún más si se desea causar una impresión duradera.

AL RIES Y JACK TROUT

非驢非馬

Fēi lù fēi mǎ

Ni burro ni caballo

Cierto día, llegó a China de visita un emisario proveniente de un país cuyo clima era extremadamente frío. La rigurosidad climática se reflejaba en sus hábitos.

Cuando el enviado se reunió con el rey y observó el ceremonial de la corte, quedó deslumbrado ante las vestimentas y las costumbres chinas.

De regreso a su país, contó a su rey lo que había visto, y éste decidió imponer el mismo ceremonial en su corte. Pero los colores cálidos de los ropajes y la textura de la seda no se adecuaban a un clima tan riguroso y resultaban incómodos y poco saludables para el gobernante y sus súbditos.

Un funcionario sugirió entonces al rey recuperar las antiguas costumbres, que eran apropiadas para su país y formaban parte de su identidad como pueblo.

Ante la negativa del rey, el sabio funcionario le dijo: "Practicar el ceremonial chino en nuestro país nos hace parecer absurdos e inadecuados. Un líder debe favorecer siempre el desarrollo natural de los hechos evitando ser orgulloso o exigente. Facilitar lo que ocurre espontáneamente es más poderoso que imponer algo a la fuerza".

El rey comprendió la enseñanza y aceptó volver al antiguo ceremonial.

La gente compra por sus motivos, no por los tuyos.

Stephen E. Heiman

掛羊頭賣狗肉

Guà yáng tóu mài gǒu ròu
El ejemplo

Cansado de las vestimentas femeninas de colores brillantes, un rey ordenó que todas las mujeres vistieran ropa de hombre.

Su orden fue cumplida en todo el reino.

Cierto día, recorriendo la ciudad, el rey notó que no podía distinguir a los hombres de las mujeres, pues todos vestían igual.

Volvió entonces al palacio y ordenó esta vez que todas las mujeres dejaran de usar ropa de hombre y volvieran a usar ropa femenina.

A los pocos días, salió nuevamente a recorrer las calles, pero quedó desconcertado al descubrir que ninguna mujer había acatado la orden.

Regresó de inmediato al palacio y preguntó a un consejero por qué no se cumplía la orden dada.

Éste le respondió: "Habéis utilizado vuestro poder para forzar a la gente a cumplir una orden absurda, sin respetarla por lo que verdaderamente es. Un rey debe guiar a su pueblo de acuerdo con la generosidad de sus acciones y no dejarse dominar por ideas arbitrarias que lo perjudiquen".

Cambiar es una acción que necesita tu impulso, tu decisión y también tu inteligencia.

MARCO AURELIO

Hài qún zht mǎ
Apartar al que perjudica al grupo

Un rey y su comitiva viajaban para visitar un templo lejano. Tan complicado era el trayecto que se perdieron. Al costado del camino encontraron a un joven cuidador de caballos.

"Debemos llegar al templo, pero hemos perdido el camino", le dijo el rey.

"Yo les indicaré cómo llegar", contestó el joven.

El rey estaba tan agradecido que permaneció un momento conversando con el cuidador. Al notar la sabiduría que emanaba de sus palabras, le preguntó si le hubiera gustado ser rey en lugar de cuidar caballos, a pesar de la dificultad de esa tarea.

"No veo la diferencia entre ser rey y mi actividad actual."

"No te comprendo", respondió el rey, "te estoy diciendo que tu tarea sería gobernar todo un país".

"Sí, pero, según mi humilde opinión, gobernar un país y cuidar caballos son tareas muy semejantes: sólo debo conducirlos por senderos seguros, apartando a aquellos que perjudiquen al grupo. El bienestar de todos es lo más importante. En definitiva, se trata de una tarea simple."

El rey entendió lo que el joven trataba de decirle. Gobernar significa proteger a los habitantes del país y velar por ellos. Un buen gobernante debe poseer un conocimiento pragmático de la realidad. Y no perder jamás su camino.

La buena dirección consiste en inspirar a los demás a que piensen de manera tal que el beneficio sea para todos los involucrados.

DON PAGE

狐假虎威

Hú jiǎ hǔ wèi
Usar el poder del otro

En la antigüedad, existía un reino cuyo ejército era legendario por su gran valor. Entre los soldados, había uno que inspiraba un temor sin igual.

Un día el rey le preguntó a uno de sus consejeros la causa de este miedo singular.

Éste le respondió con una historia: "En un bosque cercano al palacio, vivía hace muchos años un tigre temido por todos los animales. Un día, el tigre intentó atacar a un zorro. Éste, al verlo, utilizó su astucia: 'No me puedes atacar, tigre, porque el gran Dios me ha encomendado la tarea de ser el rey de los animales'. El tigre lo miró con desconfianza y profirió las siguientes palabras: '¡Lo que estás diciendo no puede ser verdad, porque yo soy el rey de los animales!'

'Veremos', dijo el zorro. 'Sólo te pido que aceptes realizar esta prueba: entraré al bosque y tú marcharás detrás de mí. Podrás comprobar que todos los animales se asustarán al verme'. El tigre aceptó el desafío.

Cuando entraron al bosque, comprobó extrañado las palabras del zorro: todos los animales huían al paso de éste. El tigre no se dio cuenta de que, en realidad, los animales huían de él, que –ingenuamente– caminaba detrás del zorro".

Aquel soldado, comprendió el rey, era tan temible como todo el ejército que lo rodeaba en las batallas.

Los ganadores le sacan el máximo de provecho a los desafíos, evalúan la realidad, los enfrentan y actúan.

Scott W. Ventrella

疾風知勁草

Jí féng zhī jìn cǎo
Brotes resistentes

Un soldado que se había destacado durante la guerra por su virtud, tenacidad y lealtad fue premiado por el rey con un cargo en el gobierno.

Con el tiempo, el ejército comenzó a perder una tras otra todas las batallas. Los soldados –decepcionados de su líder– habían perdido la voluntad de luchar. Ante esta situación, el soldado, que ahora era funcionario, decidió pelear nuevamente para defender a su rey, quien volvió a recompensarlo.

Otros funcionarios cuestionaron su gesto al gobernante. Pero el rey les explicó: "Cuando yo era pequeño, vientos huracanados azotaron a China. Todos los campesinos perdieron sus cosechas pues sólo algunos brotes resistieron al temporal. Fueron precisamente esos brotes fuertes los que permitieron el crecimiento de nuevas plantas. Yo he recompensado a este soldado para que todos comprendan que, así como en tiempos de catástrofes sólo las plantas fuertes resisten, en los momentos difíciles sólo los más virtuosos y leales son capaces de mantener la voluntad de luchar".

Soy un hombre de principios rígidos e inquebrantables, el primero de los cuales es ser flexible en todo momento.

EVERETT DIRKSEN

蛟龍得水

JIĀO LÓNG DÉ SHUǏ
DRAGÓN EN EL MAR

Según la cultura china, el dragón es un animal místico destinado a ser rey. Una leyenda cuenta que un dragón debió marchar al exilio porque nadie creía en sus virtudes. Después de muchos años, tras demostrar sus cualidades, pudo regresar a su casa en el mar.

En épocas de guerra, un rey se encontraba reclutando soldados para su ejército. Yang, experto corredor, se presentó ante los funcionarios del palacio, pero no resultó elegido. Creyéndose poseedor de las habilidades necesarias para formar parte del ejército, rogó al rey que le otorgara una segunda posibilidad. El rey así lo hizo.

El día de la entrevista, Yang apareció con una soga muy larga atada a sus espaldas. Apenas vio llegar al rey, comenzó a correr tan rápido como el viento. La soga parecía volar detrás de él y le permitía demostrar su esfuerzo y su destreza. El rey lo aceptó al instante como soldado.

Yang le agradeció con estas palabras:

"Aprecio este reconocimiento porque he trabajado toda mi vida en el desarrollo de mis capacidades. En este momento me siento como el dragón que regresa del exilio a su casa en el mar".

La sabiduría del rey le había hecho comprender que una disposición mental abierta y atenta era mejor que sostener decisiones inflexibles.

No puedes vencer a alguien que no se rinde.

BABE RUTH

金玉其外，敗絮其中

JĪN YÙ QÍ WÀI
BÀI XÙ QÍ ZHŌNG
ORO POR FUERA

Durante muchos años, un vendedor de mandarinas recorría las aldeas ofreciendo fruta fuera de estación. Como era muy difícil obtener buenas mandarinas durante el verano, el comerciante las guardaba en el frío para después venderlas, fuera de época, a precios altísimos. A este vendedor no le preocupaba que la fruta perdiera su natural sabor y su frescura.

Un día, una clienta se quejó diciéndole que sus mandarinas eran oro por fuera, pero que carecían de todo valor por dentro, ya que estaban totalmente secas. Viendo que el vendedor no se inmutaba por sus palabras, ella agregó sin amedrentarse: "Eres como el producto que vendes; prometes algo valioso, pero sólo entregas falsedad y engaño".

La calidad comienza en el interior y encuentra el camino hacia afuera.

Bob Moawad

Zhāo sān mù sì
Cambio de ración

Un señor criaba como mascotas a una gran cantidad de monos. Los alimentaba generosamente dos veces por día, a la mañana y a la noche, con cuatro raciones de comida cada vez.

Al ver que sus provisiones empezaban a agotarse, redujo las raciones y comenzó a dar a sus mascotas sólo tres raciones de comida por vez. Los monos percibieron que la cantidad de comida había disminuido y se pusieron inquietos.

Como el señor quería que sus animales estuvieran contentos, decidió cambiar los cuencos en los que les preparaba la comida por otros de tamaño más pequeño, manteniendo el mismo número de antes: cuatro raciones en cada comida. De esa manera, logró que los monos estuvieran satisfechos.

Muchas veces no debemos valorar la forma en la que obtenemos algo, sino el resultado final, a fin de no conformarnos como los monos de esta historia.

A veces un simple cambio de perspectiva es todo lo que hace falta para transformar algo tedioso en una posibilidad interesante.

ALBERTA FLANDERS

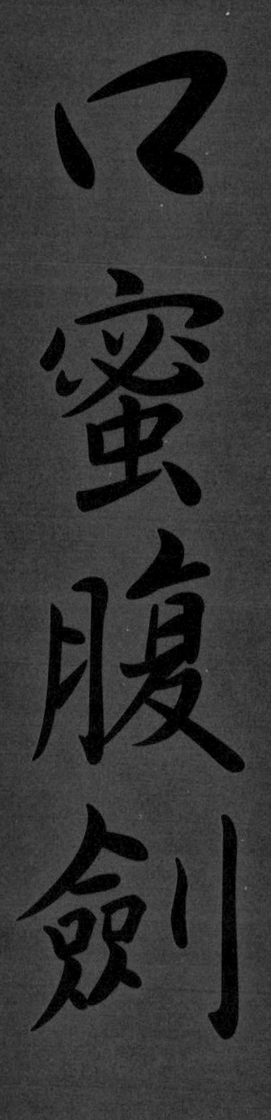

Kǒu mì fù jiàn
Miel y espada

Aunque la virtud y la sabiduría son dones indispensables para ser consejero del rey, existió en una época un funcionario que carecía de ellos. Estaba tan ávido de poder que su ambición lo había llevado a realizar acciones deplorables, traicionando a sus colegas. Los demás funcionarios decidieron, entonces, abandonar el reino sin dar explicaciones, pues no querían seguir compartiendo sus tareas de gobierno con él. De esa forma, el funcionario Wang se transformó en el hombre de confianza del gobernante.

Cierto día, el rey lo llamó para que lo ayudase a encontrar una solución al problema de la partida de sus funcionarios. El monarca decidió convocar primero al maestro Li, quien había sido durante muchos años su más leal y sabio consejero, y le pidió a Wang que lo invitara al palacio para ofrecerle nuevamente su cargo.

El funcionario desleal prometió encargarse de la misión sin perder un minuto, pues sabía que el maestro Li tenía a su cargo un hermano muy enfermo, y esto le impediría retomar sus tareas en el palacio.

Cuando el consejero Wang llegó a la casa del maestro, en lugar de comunicarle las buenas intenciones del gobernante, le dijo que el rey estaba al tanto de los problemas familiares que le acontecían, por lo que no requeriría ya de sus servicios.

Después regresó al palacio y, cegado por su ambición, sólo informó al rey los motivos familiares que impedían al maestro Li concurrir al palacio, sin aclarar que nunca le había mencionado la amable solicitud del gobernante.

Al poco tiempo, el rey decidió visitar personalmente a su antiguo consejero y se conoció la verdad. El maestro Li le dijo entonces al rey: "Confías en personas que tienen miel en la boca y espadas en el corazón. Las enseñanzas del taoísmo nos dicen que quienes mienten y pretenden ser alguien no alcanzan nada y aquellos que sólo se vanaglorian de sí mismos no obtienen la gloria".

Al comprender el egoísmo que se escondía detrás de los actos del funcionario desleal, el rey lo destituyó de su cargo y volvió a nombrar a todos los que habían abandonado el reino.

Aquellos que gozan teniendo responsabilidad, por lo general la obtienen; aquellos que prefieren ejercitar la autoridad, es habitual que la pierdan.

MALCOLM FORBES

明修棧道，暗渡陳倉

MÍNG XĪU ZHÀN DÀO, ÀN DÙ CHÉN CĀNG

ATAQUE ENCUBIERTO

En épocas de una guerra civil, el norte y el sur de China se disputaban la supremacía del extenso territorio.

El general de la zona norte decidió utilizar la siguiente estrategia: quemó todos los puentes que comunicaban la zona norte con la zona sur y construyó un solo puente a fin de unir fuerzas y distraer al enemigo.

Todas las mañanas, los soldados de la zona sur observaban cómo avanzaba la construcción del puente. Basados en este hecho obvio, ellos tomaron esta decisión: bajaron sus armas y descansaron. Dedujeron erróneamente que, sólo cuando el puente estuviera terminado, llegaría el momento de luchar.

Al ver que los soldados de la zona norte construían el puente de forma cada vez más lenta, los consejeros de la zona sur insistieron a su general que probara otra estrategia, pues sospechaban que los ejércitos de la zona norte podían estar engañándolos.

"¡No creemos que esperen a terminar el puente para atacar! ¡Deberían saber que los estaremos esperando!", sugerían al unísono al general. Pero éste no los escuchaba.

Una mañana, los soldados de la zona sur fueron sorprendidos por otra facción del ejército del norte que, tras haber recorrido largos caminos a través de la selva, entraba triunfal a la ciudad principal.

El general de la zona sur reconoció entonces su error: no haber sabido ver la estrategia de distracción que había llevado a cabo el general de la zona norte.

Los funcionarios le dijeron al general: "No hay mayor equivocación que menospreciar al enemigo. El Tao nos enseña que, cuando desprecio a mi enemigo, corro peligro de deshonrar mi propia estima". El general se limitó a asentir con gran pesar.

El desafío es reaccionar al cambio de contexto antes de que se convierta en crisis.

ARIE P. DE GEUS

居安思危

Jū ān sī wēi
Armonía y peligro

Tras largos años de guerra sin pausa, el país había logrado la unificación y disfrutaba de la paz largamente añorada. El rey aceptaba con júbilo los obsequios que le llegaban de los rincones más diversos de su país.

Al verlo tan despreocupado en medio de la dicha reinante, un consejero le habló de esta manera: "Esta unión es muy reciente y ha costado a nuestro pueblo mucho esfuerzo, gran paciencia y miles de vidas. Siempre es bueno disfrutar de los logros con alegría, pero no hay que olvidar los problemas que quedan aún por resolver. La conciencia y el estado de alerta son imprescindibles para que el peligro no nos encuentre desprevenidos. Es obligación de los reyes mantener el equilibrio de las emociones a fin de gobernar con justicia y vivir en paz".

El rey comprendió la advertencia: agradeció los obsequios recibidos y retomó sus tareas de gobernante con gran dedicación.

Aun cuando ya hayas tirado varias veces con el arco, continúa prestándole atención al modo como colocas la flecha y tensas la cuerda.

LAO TZU

Contenido

¡Tu opinión es importante!